图书在版编目（CIP）数据

元素在哪里：来自星星的我 / 胡振中，李一林，郭金霄 著；孙愚火绘. —北京：北京科学技术出版社，2024.5

ISBN 978-7-5714-3598-1

Ⅰ. ①元… Ⅱ. ①胡… ②李… ③郭… ④孙… Ⅲ. ①儿童故事－图画故事－中国－当代 Ⅳ. ① I287.8

中国国家版本馆 CIP 数据核字（2024）第 010802 号

策划编辑：张　尧
责任编辑：张　芳
封面设计：乔阿喵
图文制作：天露霖文化
责任印制：李　茗
出 版 人：曾庆宇
出版发行：北京科学技术出版社
社　　址：北京西直门南大街16号
邮政编码：100035
电　　话：0086-10-66135495（总编室）　　0086-10-66113227（发行部）
网　　址：www.bkydw.cn
印　　刷：雅迪云印（天津）科技有限公司
开　　本：889 mm × 1040 mm　1/16
字　　数：31千字
印　　张：2.5
版　　次：2024年5月第1版
印　　次：2024年5月第1次印刷
ISBN 978-7-5714-3598-1

定　　价：48.00元

元素在哪里

来自星星的我

胡振中 李一林 郭金霄◎著 孙愚火◎绘

北京科学技术出版社
100 层童书馆

很久很久以前，
有一个小小的、重重的、烫烫的点，
叫作**奇点**。

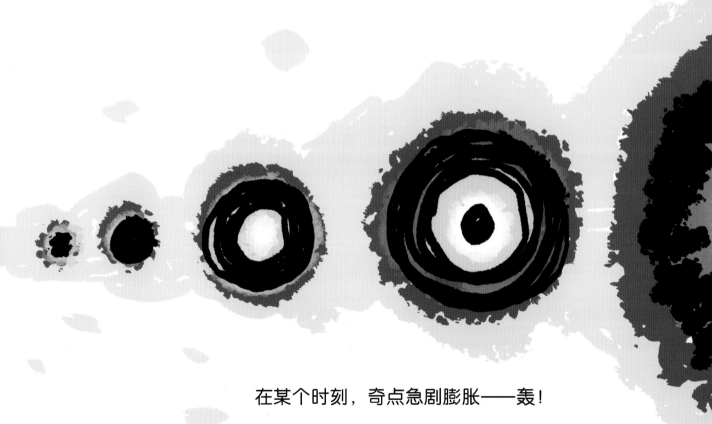

在某个时刻，奇点急剧膨胀——轰！

它爆炸了！

最初的宇宙形成了。

那时候，宇宙中只有一些孤零零的粒子。

后来，这些粒子形成了 原子 和 分子。

氢原子和氦原子形成的气团互相吸引、挤压，形成了会发光的 恒星！

恒星周围的气体、尘埃和冰互相吸引、碰撞，形成了不发光的 行星！

氢原子

氦原子

锂原子

渐渐地，无数颗星星组成了
很多很多璀璨的星系。

星系

其中有一个叫作银河系的星系，我们的**地球**就诞生于其中。

经过很长很长的时间，地球上的原子组成了山川、河流、花草树木……

甚至我们**人类**。

当然，地球上的许多东西都是由原子组成的。

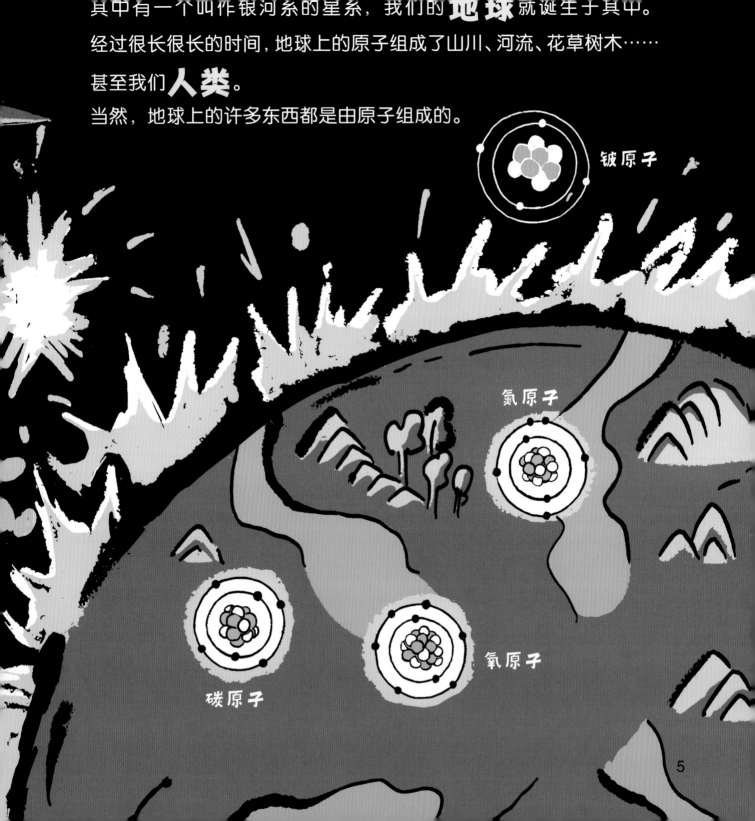

铍原子

氮原子

氧原子

碳原子

地球上形形色色的原子太多啦！
能不能给它们分分类呢？
你瞧——

质子数相同的同一类原子被称为**元素**，

同一种元素中，质子数相同、中子数不同的原子，互为**同位素**。

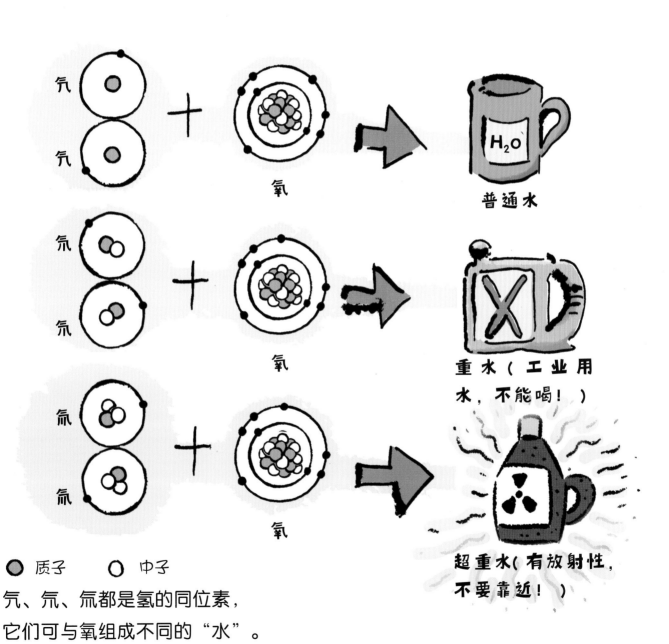

氕 氕 ＋ 氧 → 普通水

氘 氘 ＋ 氧 → 重水（工业用水，不能喝！）

氚 氚 ＋ 氧 → 超重水（有放射性，不要靠近！）

H_2O

● 质子　○ 中子

氕、氘、氚都是氢的同位素，

它们可与氧组成不同的"水"。

地球上究竟有多少种元素呢？

俄国科学家门捷列夫绘制了第一张**元素周期表**，当时已知 63 种元素。后来，科学家逐渐发现了更多的元素。目前，科学家已经发现了至少 **118** 种元素，新的元素还在不断被发现。

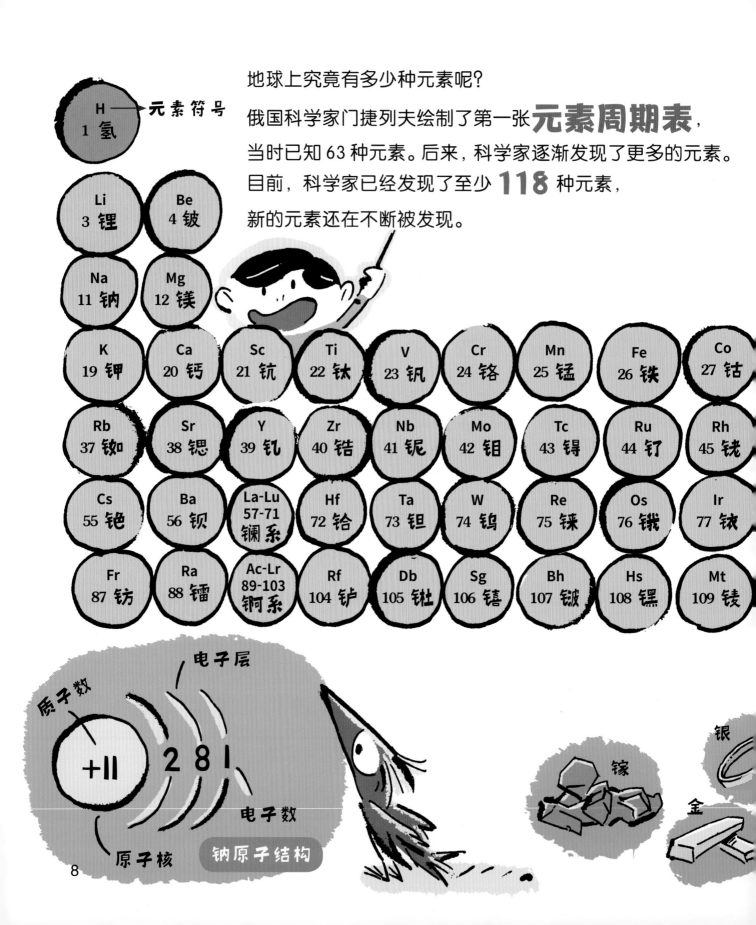

H 1 氢 ← 元素符号

Li 3 锂
Be 4 铍

Na 11 钠
Mg 12 镁

K 19 钾
Ca 20 钙
Sc 21 钪
Ti 22 钛
V 23 钒
Cr 24 铬
Mn 25 锰
Fe 26 铁
Co 27 钴

Rb 37 铷
Sr 38 锶
Y 39 钇
Zr 40 锆
Nb 41 铌
Mo 42 钼
Tc 43 锝
Ru 44 钌
Rh 45 铑

Cs 55 铯
Ba 56 钡
La-Lu 57-71 镧系
Hf 72 铪
Ta 73 钽
W 74 钨
Re 75 铼
Os 76 锇
Ir 77 铱

Fr 87 钫
Ra 88 镭
Ac-Lr 89-103 锕系
Rf 104 铲
Db 105 𬭊
Sg 106 𬭳
Bh 107 𬭛
Hs 108 𬭶
Mt 109 䥑

质子数
电子层
+11 2 8 1
电子数
原子核
钠原子结构

镓
银
金

8

在元素周期表中，元素按照质子数从少到多的顺序排列；
同一行元素的电子层数相同，同一列元素的最外层电子数相同。

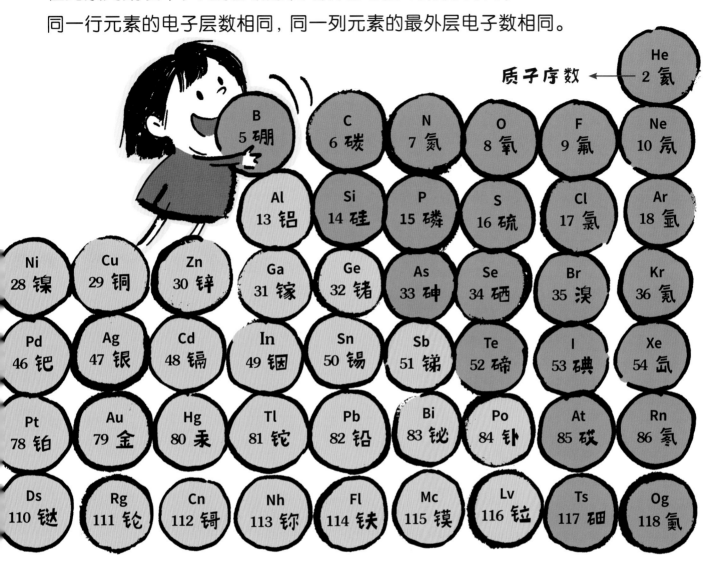

质子序数

| He 2 氦 |

| B 5 硼 | | C 6 碳 | N 7 氮 | O 8 氧 | F 9 氟 | Ne 10 氖 |

| Al 13 铝 | Si 14 硅 | P 15 磷 | S 16 硫 | Cl 17 氯 | Ar 18 氩 |

| Ni 28 镍 | Cu 29 铜 | Zn 30 锌 | Ga 31 镓 | Ge 32 锗 | As 33 砷 | Se 34 硒 | Br 35 溴 | Kr 36 氪 |

| Pd 46 钯 | Ag 47 银 | Cd 48 镉 | In 49 铟 | Sn 50 锡 | Sb 51 锑 | Te 52 碲 | I 53 碘 | Xe 54 氙 |

| Pt 78 铂 | Au 79 金 | Hg 80 汞 | Tl 81 铊 | Pb 82 铅 | Bi 83 铋 | Po 84 钋 | At 85 砹 | Rn 86 氡 |

| Ds 110 鿏 | Rg 111 铹 | Cn 112 鿔 | Nh 113 鿭 | Fl 114 铁 | Mc 115 镆 | Lv 116 铊 | Ts 117 鿬 | Og 118 鿫 |

这些元素被分为 16 个族，属于同一族的元素有相似的特性。

 金属元素：有的硬硬的，有的会变形，有的能反射出漂亮的光。大部分能导电。

 非金属元素：有很多是气体，比如空气中的氧气和氮气；也有一些是液体，比如红褐色、有强烈腐蚀性的溴（要小心哟！）；还有一些是固体，大多比较柔软。大部分不能导电。

地球上天然存在 **94** 种元素。

火山里有
氢元素和硫元素。

土壤里有
碳元素和硅元素。

很多矿石里有
钙元素和铁元素。

空气里有氮元素和氧元素。

海洋里有氢元素和氧元素。

这些元素，也同样存在于我们的身体中。

碳元素存在于我们的骨骼中，能让我们站得很挺拔。

氧元素存在于人体细胞的葡萄糖中，葡萄糖供给我们能量，能让我们跳得很高。

葡萄糖

氮元素是蛋白质的重要组成成分，免疫系统依靠蛋白质帮我们赶走病菌。

磷元素是 DNA 的重要成分，
DNA 决定着我们是更像爸爸还是更像妈妈。

DNA 双螺旋结构

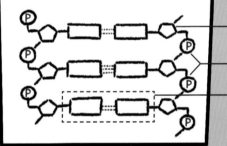

—— 含碳元素的脱氧核糖

—— 含磷元素的磷酸基团

—— 含氮元素的碱基对

此外，铁、钙、锌等微量
元素能让我们面色红润、
牙齿坚固、四肢强健。

无论是在大自然中还是在我们的身体中，
元素都处于永不停歇的**循环**中。

以特定的方式从大自然来到我们体内，

再以特定的方式回归大自然。

15

植物吸收光能，
释放氧气，
这是光合作用的光反应。

火山爆发
会产生二
氧化碳。

注：光合作用的光反应只能在有光照时发生，而暗反应不需要光照也能发生。

我们骨骼中的碳元素可能来自一朵花！

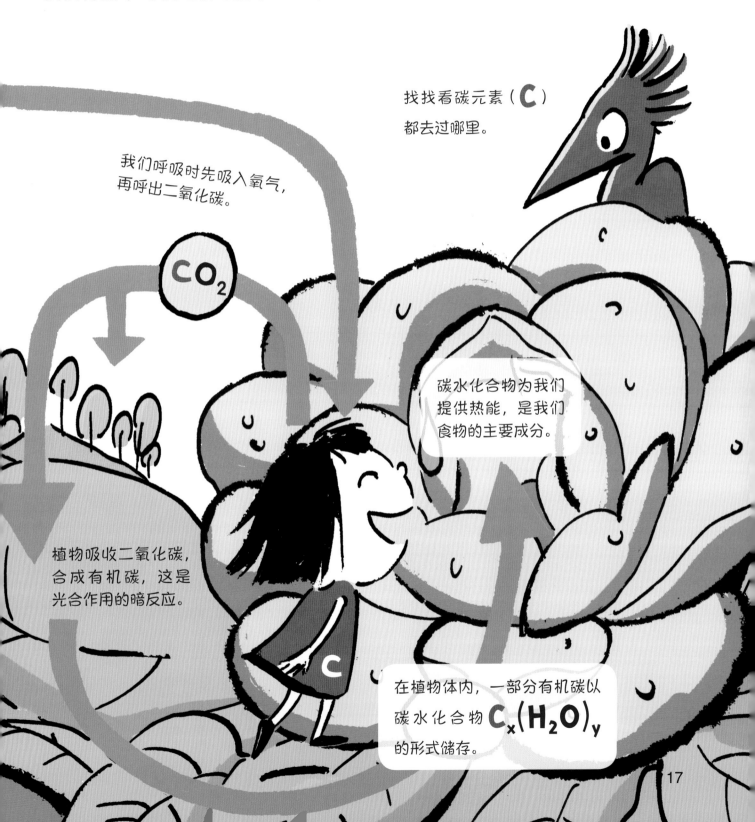

找找看碳元素（C）都去过哪里。

我们呼吸时先吸入氧气，再呼出二氧化碳。

CO₂

碳水化合物为我们提供热能，是我们食物的主要成分。

植物吸收二氧化碳，合成有机碳，这是光合作用的暗反应。

C

在植物体内，一部分有机碳以碳水化合物 $C_x(H_2O)_y$ 的形式储存。

17

我们喝的水里面的氢元素和氧元素，
可能来自一朵云！

找找看水（H_2O）都去过哪里。

云朵 **飘啊飘**……

海水蒸发的
小水滴变成云朵。

我喜欢海水，**咕嘟咕嘟**……

找找看氮元素（**N**）在哪里。

氮元素被植物通过根系吸收并储存起来。

动植物死亡后，体内的蛋白质在土壤微生物的作用下分解出氮元素。

氮元素进入土壤。

我们肌肉中的蛋白质所含的氮元素，可能是从一只兔子那里"借"来的！

我们吃掉含有氮元素的食物后，
氮元素又被用于合成我们体内的蛋白质了！

我们的便便里就
藏着蛋白质。

在土壤微生物的作用下，
便便里的蛋白质分解出氮元素。

当然，不是所有元素都对我们的身体有益，

比如会放出射线的**放射性元素**。

平时它们分散在矿石、海洋以及大气中，只放出微量射线，并没有什么可怕的。

人们利用它们发电、治疗疾病和制造武器。

可是，很多放射性元素聚集起来就会放出大量射线，

它们一旦进入循环之网，就会给我们和自然带来不可逆转的伤害。

所以，在利用完含有放射性元素的物质后，

需要确保它们不会造成伤害后再丢弃。

25

大自然对放射性物质有一定的承载力，比如海洋具有净化能力。

海洋是地球上最大的流动水体，

少量放射性物质会在这里被**稀释**，

就像倒入大海一杯墨水，颜色会变淡一样，

但放射性物质并没有消失。

同样，少量污染物，比如石油

也会在海水中分散开：

有的去往另一片海，
有的漂向陆地，
有的沉入海底……

钚
Pu

钚

钚

钍

铀

Fr

Ra

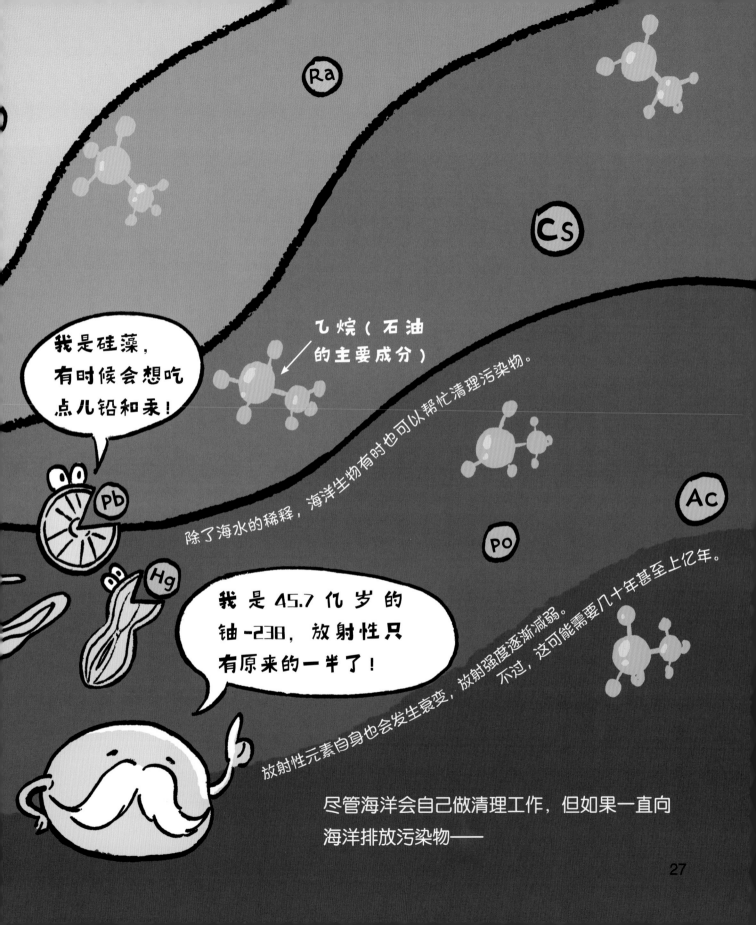

——海洋和海洋生物也忙不过来啦！
大量污染物会让海洋环境恶化。

污染物还会潜入循环之网，在陆地上沉积，最终进入我们的身体。
这样下去，地球将不适宜人类生存。

那可真糟糕！我们能去别的星球生活吗？

比如火星？

火星大气层里的氧气很少，不够我们呼吸。
而且，火星上还没有发现液态水。

火星看起来红红的，因为它的土壤中富含铁元素。

那……月球呢？

虽然月球离地球很近，
但它和地球完全不同。
月球上没有氧气，
我们无法呼吸；
昼夜温差非常大，
白天很热，晚上很冷。

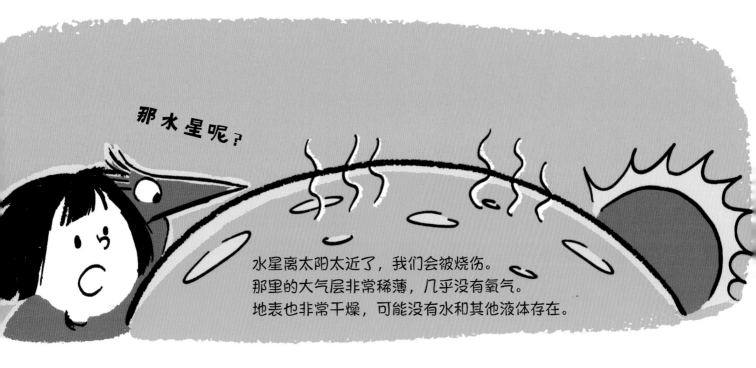

那水星呢?

水星离太阳太近了,我们会被烧伤。
那里的大气层非常稀薄,几乎没有氧气。
地表也非常干燥,可能没有水和其他液体存在。

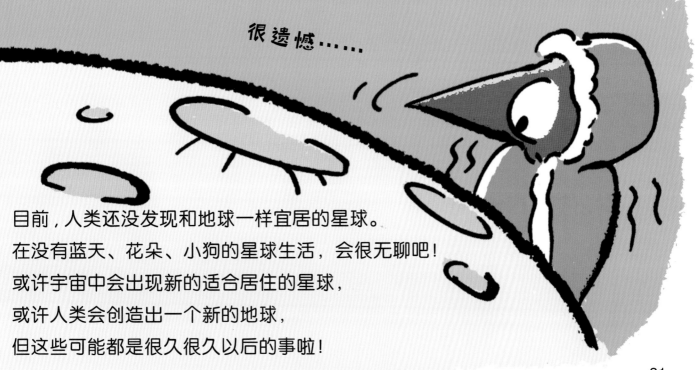

很遗憾……

目前,人类还没发现和地球一样宜居的星球。
在没有蓝天、花朵、小狗的星球生活,会很无聊吧!
或许宇宙中会出现新的适合居住的星球,
或许人类会创造出一个新的地球,
但这些可能都是很久很久以后的事啦!

暂时，我们哪儿也去不了。地球是最好的！
如果你不想看到地球上遍布有害的元素，
如果你只想把有益的元素留在身体中，
那现在就行动起来吧，保护好大自然，保护好自己！

你已经知道了我们与花朵、云彩、
兔子的秘密，请把它告诉更多的人：

我们的 生命

和**地球**是连在一起的！

图书在版编目（CIP）数据

原子大变身：核能的威力 / 邱睿著；孙愚火绘 . —北京：北京科学技术出版社，2024.5
ISBN 978-7-5714-3458-8

Ⅰ. ①原… Ⅱ. ①邱… ②孙… Ⅲ. ①原子—儿童读物 Ⅳ. ① O562-49

中国国家版本馆 CIP 数据核字（2024）第 000085 号

策划编辑：张 尧 代 冉	电　　话：0086-10-66135495（总编室）
责任编辑：代 冉	0086-10-66113227（发行部）
图文制作：天露霖文化	网　　址：www.bkydw.cn
封面设计：张步宇	印　　刷：雅迪云印（天津）科技有限公司
责任印制：李 茗	开　　本：889 mm × 1040 mm　1/16
出 版 人：曾庆宇	字　　数：31.25千字
出版发行：北京科学技术出版社	印　　张：2.5
社　　址：北京西直门南大街16号	版　　次：2024年5月第1版
邮政编码：100035	印　　次：2024年5月第1次印刷
ISBN 978-7-5714-3458-8	

定　价：48.00元

原子大变身

核能的威力

邱　睿◎著　　孙愚火◎绘

北京科学技术出版社
100 层童书馆

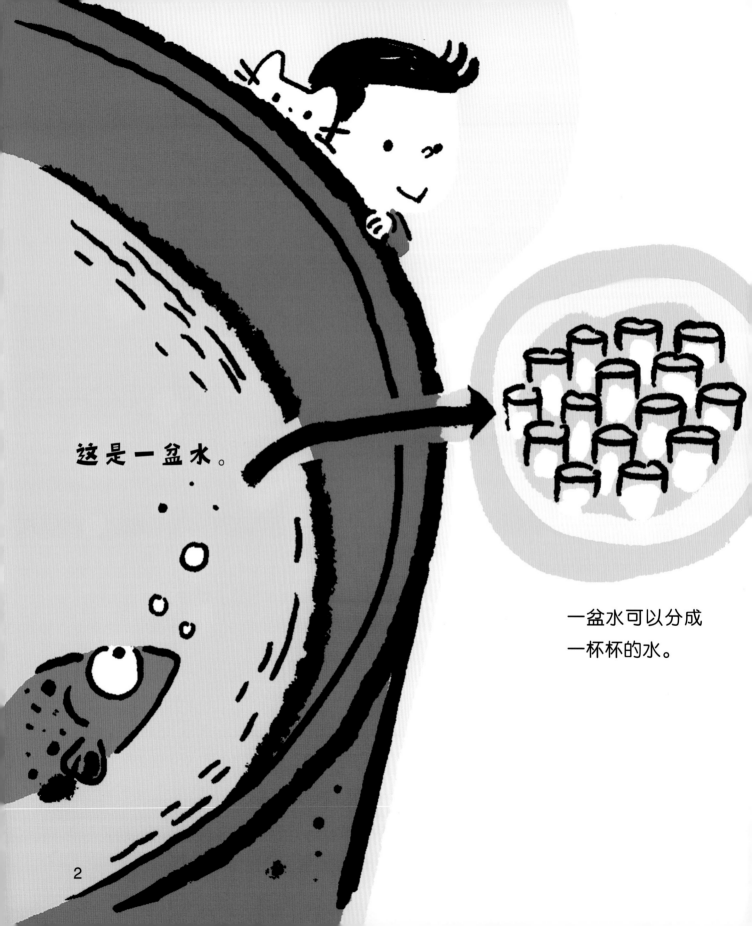

这是一盆水。

一盆水可以分成
一杯杯的水。

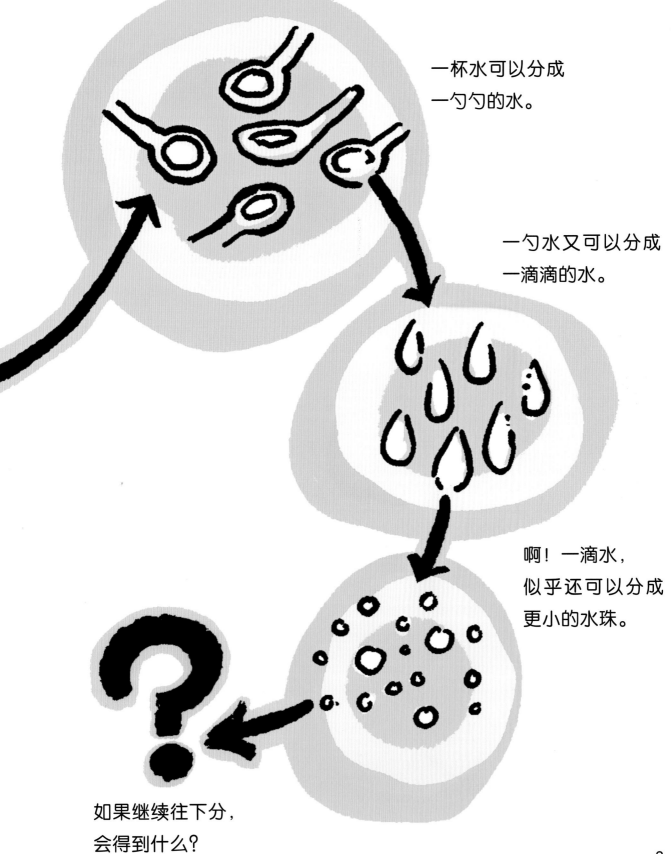

一杯水可以分成
一勺勺的水。

一勺水又可以分成
一滴滴的水。

啊！一滴水，
似乎还可以分成
更小的水珠。

如果继续往下分，
会得到什么？

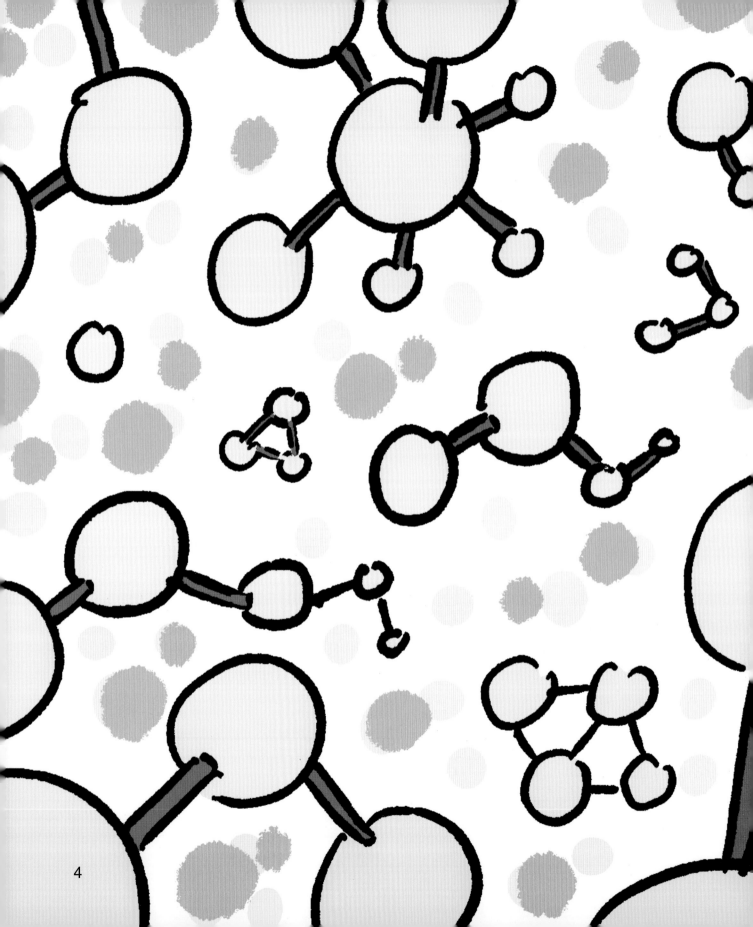

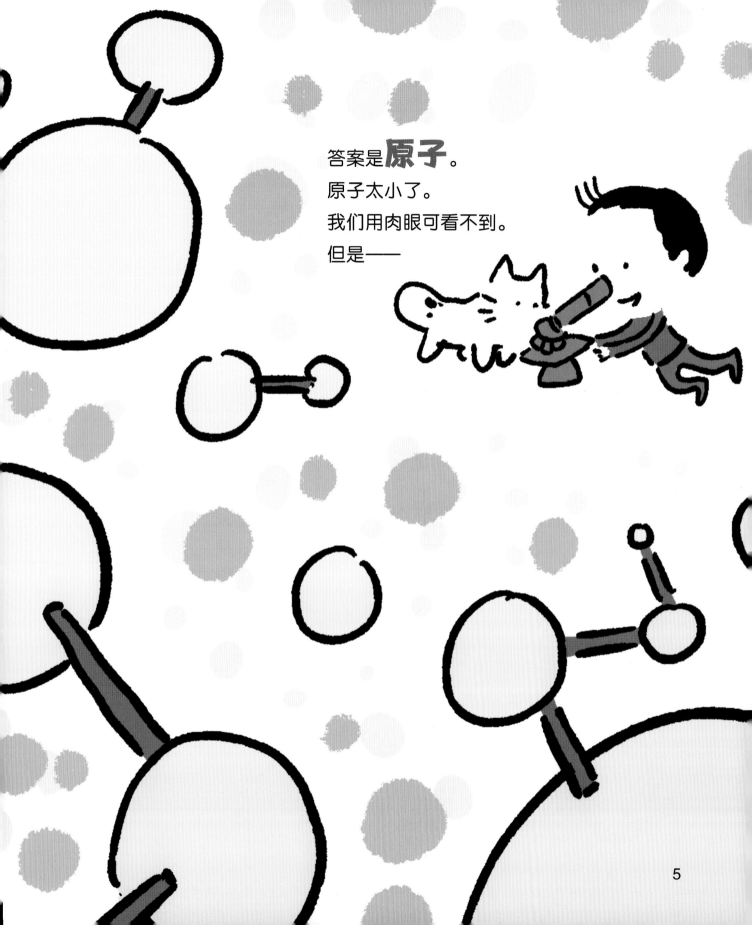

答案是**原子**。
原子太小了。
我们用肉眼可看不到。
但是——

5

这个世界的万物，所有你能看到的——
大的东西，比如鲸鱼、高楼、大山；
小的东西，比如一朵花、一个玻璃球、
一块石头——
都是由小小的原子构成的。

你，也是由无数原子组成的。

如果把原子放大很多很多倍，可以看到它们圆圆的，像一颗颗杏子。
杏子有青有黄、有酸有甜，原子和杏子一样，也分很多种。

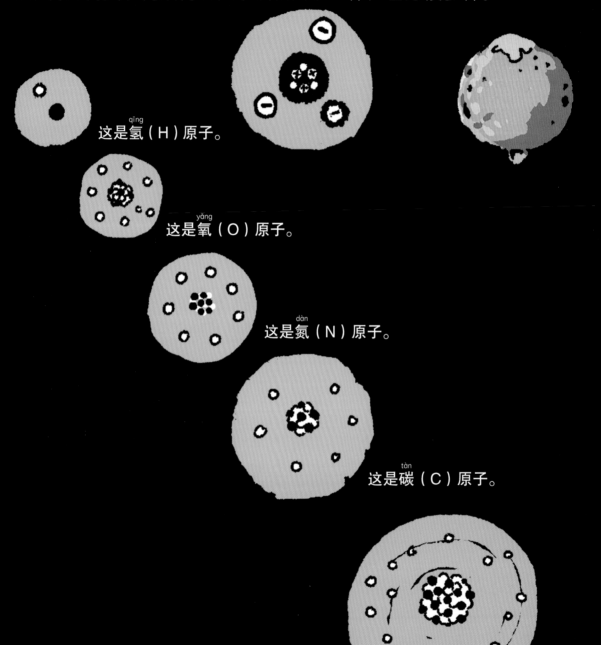

这是氢（H）原子。

这是氧（O）原子。

这是氮（N）原子。

这是碳（C）原子。

它们的个头儿也不一样大。

这是磷（P）原子。

注：H、O、N、C、P分别为氢、氧、氮、碳、磷的元素符号。

不同的原子组合在一起形成了**分子**，很多分子聚在一起形成了不同的物质。

两个氢原子和一个氧原子组成了一个水分子，无数个水分子聚在一起，就形成了水。

一滴水中的原子总数约有50万亿亿（5×10^{21}）个。

很多的碳原子抱在一起，组成了闪闪发光的钻石！这可是自然界最硬的东西！

空气里有很多氮原子，有一些氧原子，有很少的氩原子、碳原子和氢原子，它们分别组成了氮气（N_2）、氧气（O_2）、氩气（Ar）和其他气体。

9

杏子的中间有杏核，

原子的中心有一个**原子核**。

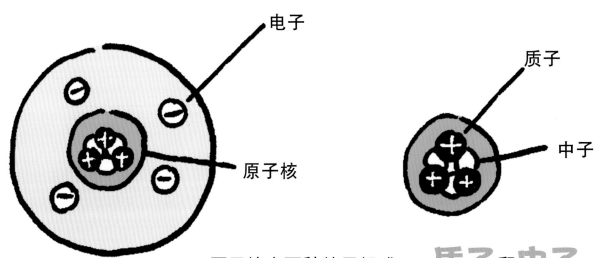

电子

原子核

质子

中子

原子核由两种粒子组成——**质子**和**中子**。
它们通过强大的吸引力紧紧地团结在一起。
所以，原子核摸起来很可能像一块坚硬的石头！
对原子来说，原子核非常非常小，
如果将原子比作鸟巢体育馆，那么原子核就是
场馆中心的一颗玻璃弹珠。

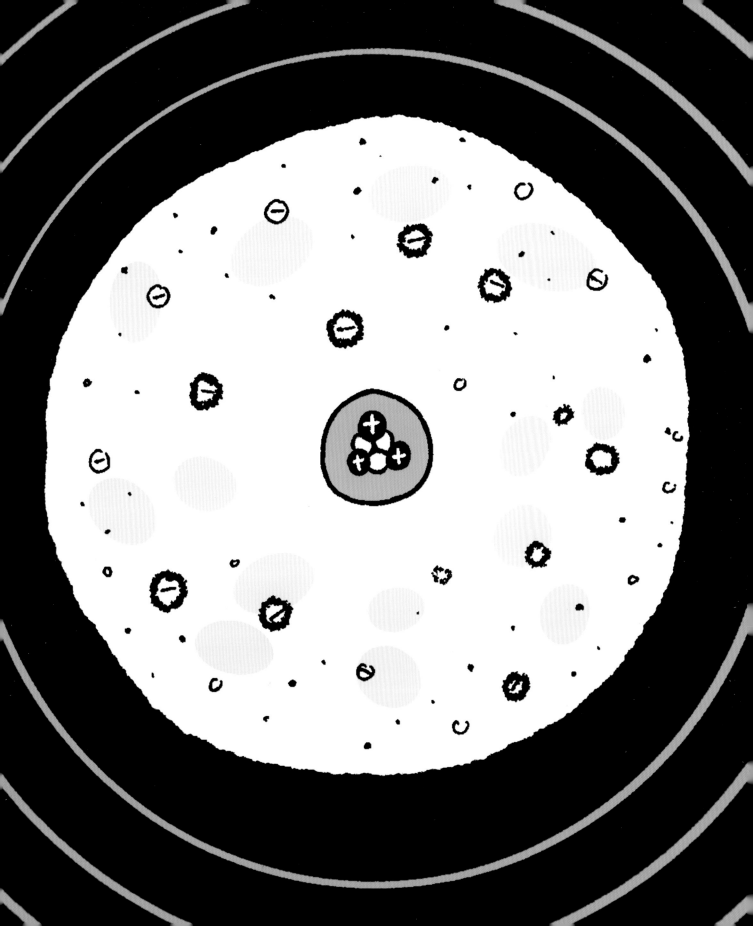

虽然原子核很小，但它几乎决定了整个原子的重量，
而质子和中子的数量又决定了原子核的重量。
质子和中子的数量越多，原子核越重，原子也就越重。

氢原子核只有 **1** 个质子，
所以它是最轻的原子。

磷的原子核有 **15** 个质子和 **16** 个中子，
一共是 **31** 个粒子，所以磷原子比氢原子重多了。
不过，磷原子仍然属于大自然中比较轻的原子。

现在，有请一位重量级嘉宾——铀-235原子！

（yóu）

铀-235是铀元素（U）家族的成员之一，

它的质子和中子总共有235个。

如果说氢原子相当于两颗花生米的重量，

氧、氮、碳原子各相当于一颗杏子的重量，

那么，铀-235原子则有三个大苹果加起来那么重！

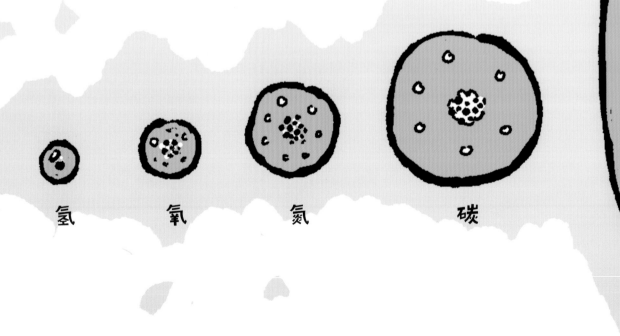

氢　氧　氮　碳

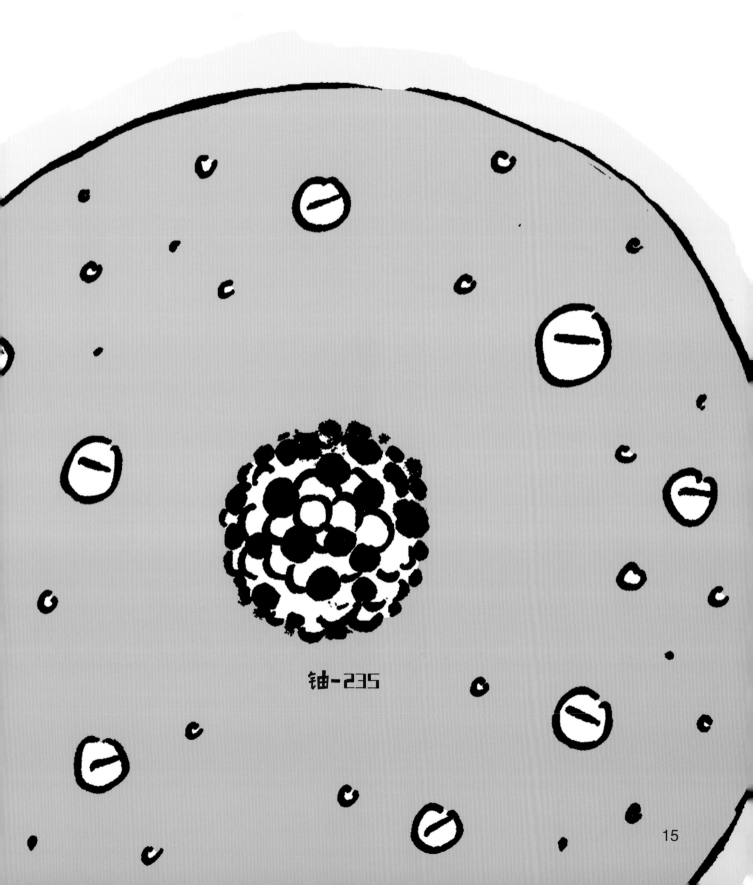

铀-235

像铀-235这样的重量级选手在自然界是极其罕见的。

在它的原子核中，紧紧抱团的质子和中子，封藏着巨大的能量。

只要把铀-235的原子核打开，就可以将这些能量释放。

这可不是一项简单的任务！

不相信？
那我们就一起试试！

你，准备好了吗？

现在开始吧！

用斧头劈？劈不开！

用门夹？夹不碎！

使劲砸向地面？力气太小了！

离得远远的，用石头去撞？
哎呀，石头碎了……

这可怎么办呀？

似乎应该用一个更坚硬的东西，
比如一个中子？

离得远远的，**使劲！**
中子撞了上去——

砰！！！新的中子又攻击了新的原子核！！！

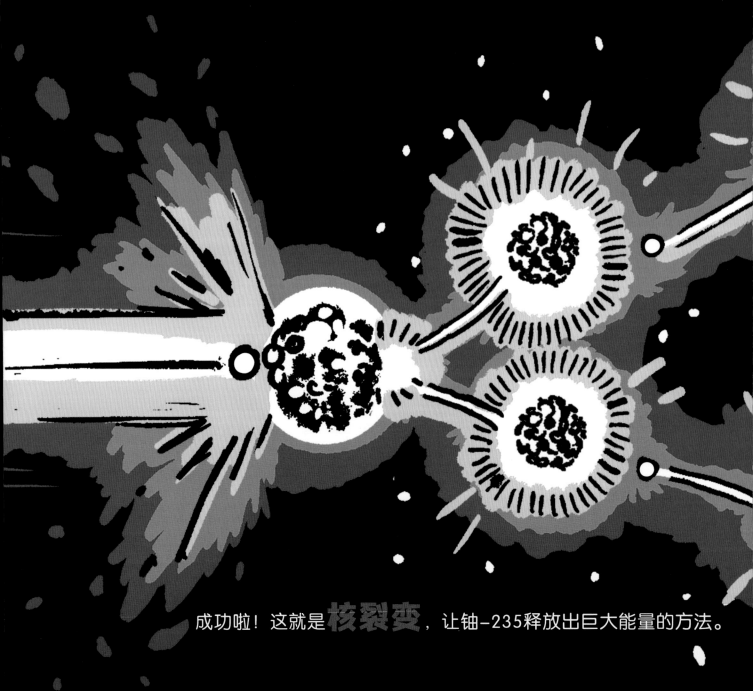

成功啦！这就是核裂变，让铀-235释放出巨大能量的方法。

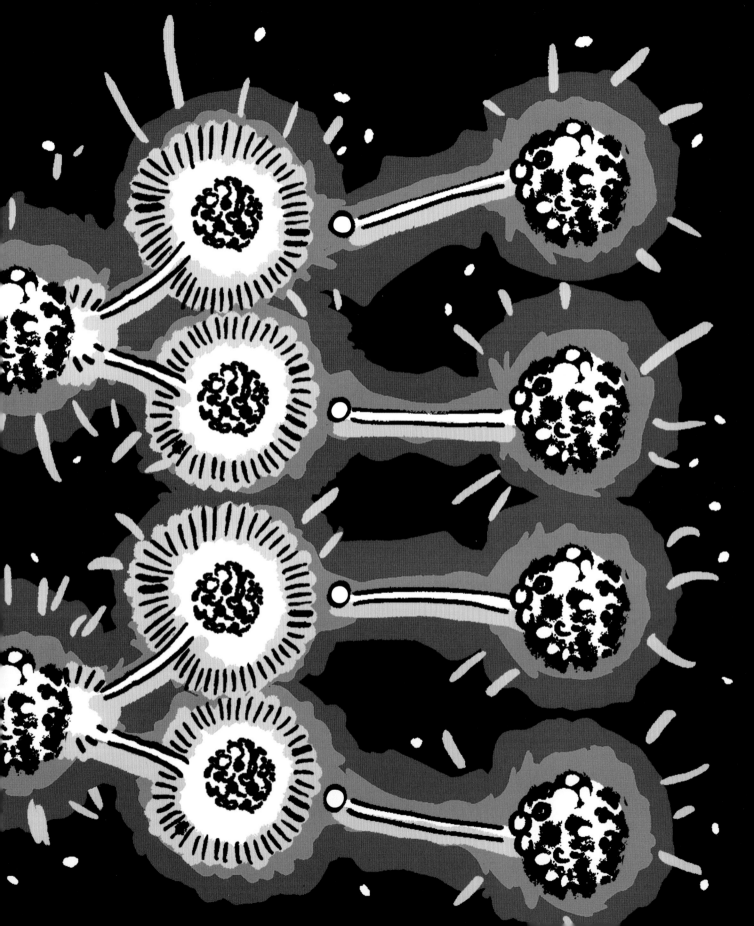

核裂变释放出的热能，足够给一整座城市供电和供暖！
所以，人类建起了**核电站**。
核裂变产生的热能还可用来淡化海水、给机器提供动力。
核裂变产生的特殊物质可用来治疗癌症。这些应用大大提升了
我们的生活质量。

一种威力巨大的武器也是利用核裂变的原理发明的!

一颗原子弹的爆炸能破坏一座城市,导致数十万人死亡,这是我们都不愿看到的。所以,世界上绝大多数国家达成了一致:不扩散核武器,维护世界和平!

原子弹

随着铀-235原子核的分裂，释放出的不只有能量，

还有很多有害的特殊物质，

比如氚、钴-60、铯-137、铯-134、锶-90、碘-129 等。

看！它们浑身散发出危险的射线。

我们管它们叫作**放射性物质**。

它们放出的射线叫做"辐射"。

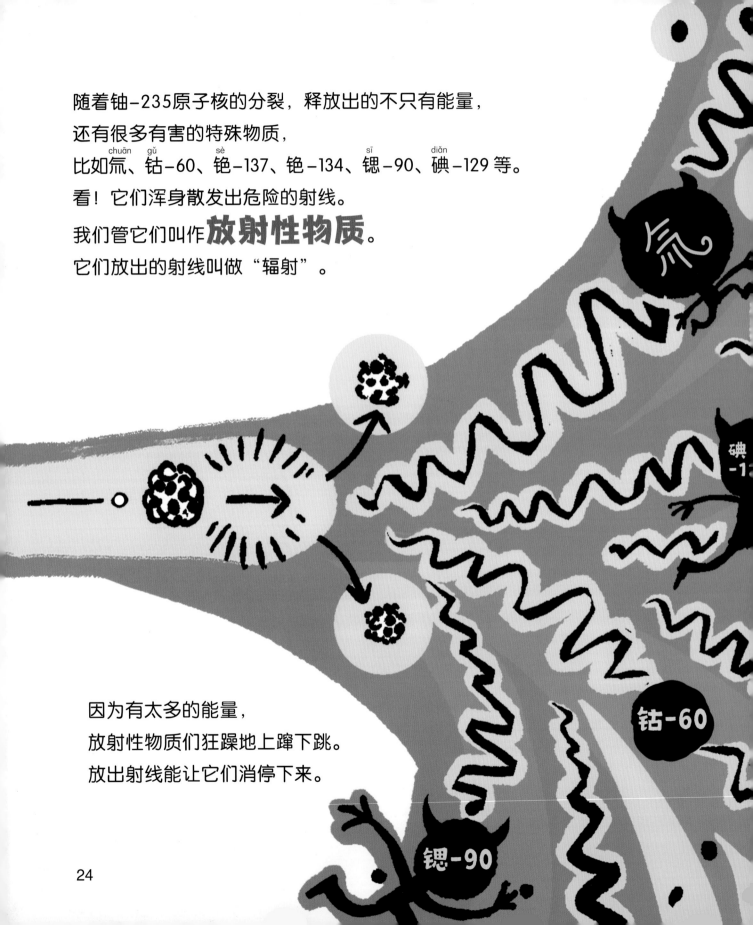

碘-1

钴-60

锶-90

因为有太多的能量，

放射性物质们狂躁地上蹿下跳。

放出射线能让它们消停下来。

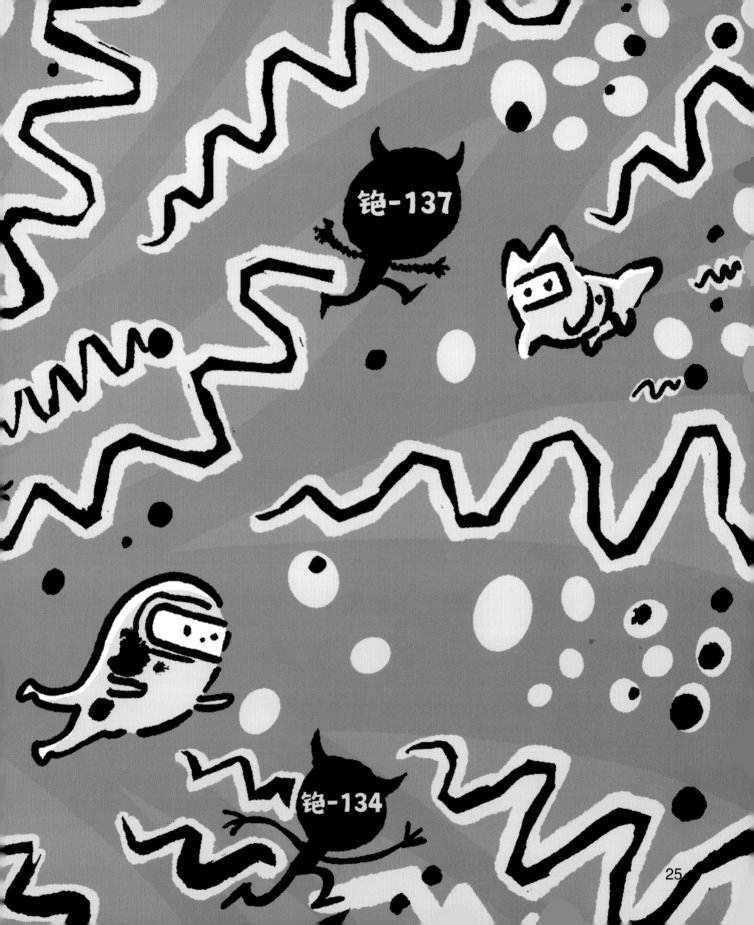

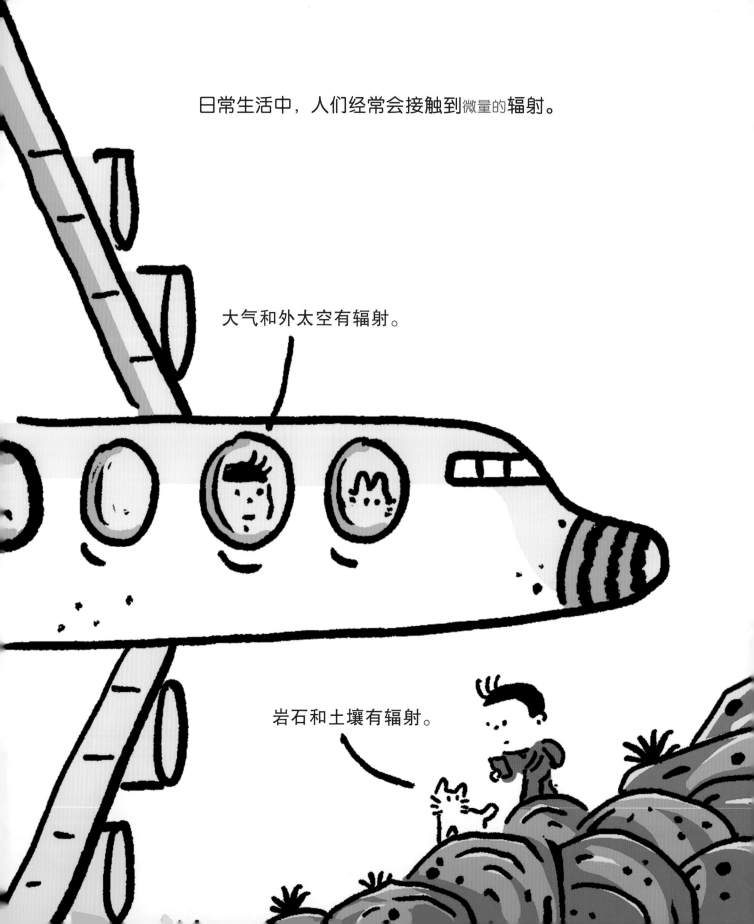

有些身体检查也会接触到辐射。

但你是不是并未因此而生病？
那是因为这些辐射的量都太微小了，
对我们的身体不会有什么影响。

但是，核电站内的铀-235裂变时产生的**大量辐射**，危害不容忽视！
核裂变产生的放射性物质既坏又狡猾，一有机会就会跑出去做坏事。

喝了含有大量放射性物质的水，
人们会生病。

不仅如此，当我们靠近强辐射
物质时，它们放出的射线还有可能
进入我们的身体，损害我们的健康。

29

哎呀，那核电站是不是很危险？

别怕！核电站有四道"门"可以关住这些坏家伙！

第一道"门"：
燃料芯块
锁住核裂变产生的大部分放射性物质。

第二道"门"：
燃料包壳
密封燃料芯块，防止放射性物质外泄。

第三道"门"：
压力容器
耐受高压小能手，放射性物质再怎么折腾也都在它的肚子里。

第四道"门"：
安全壳
核反应堆的保护罩，大风大浪和地震来了，也不怕！

注意！ 万一发生特大地震、海啸等灾难，核电站内部的核设施受损，放射性物质就有可能进入核反应堆的冷却系统，形成**核污染水**！

这些核污染水如果不加任何处理地排出去，就会污染全世界的环境，威胁动物、植物甚至我们人类的生存。

不过，请不要担忧哟！

随着科技的进步，核电站将会被建造得更安全！